Brady Brady
et l'équipe Alpha

Mary Shaw
Illustrations de Chuck Temple
Texte français d'Isabelle Allard

SCHOLASTIC

Catalogage avant publication de Bibliothèque et Archives Canada

Titre: Brady Brady et l'équipe Alpha / Mary Shaw ; illustrations de Chuck Temple ; texte français d'Isabelle Allard.
Autres titres: Brady Brady and the B team. Français
Noms: Shaw, Mary, 1965- auteur. | Temple, Chuck, 1962- illustrateur. | Allard, Isabelle, traducteur.
Description: Mention de collection: Brady Brady | Traduction de: Brady Brady and the B team.
Identifiants: Canadiana 20189066563 | ISBN 9781443175326 (couverture souple)
Classification: LCC PS8587.H3473 B7319514 2019 | CDD jC813/.6—dc23

Édition publiée par les Éditions Scholastic, 604, rue King Ouest, Toronto (Ontario) M5V 1E1 CANADA.

6 5 4 3 2 1 Imprimé en Malaisie 108 20 21 22 23 24

Pour Tom et Brad

C’est le début d’une nouvelle saison de hockey. Brady trépigne d’enthousiasme. Il est certain que cette saison sera la meilleure des Ricochons.

Comme d'habitude, Brady arrive le premier à l'aréna, suivi de Tess.

Les joueurs discutent de bon cœur dans le vestiaire. Ils ont tous hâte de se retrouver sur la glace. Ils doivent s'entraîner sérieusement, car ils vont disputer leur première partie demain.

Avant de commencer, l'entraîneur présente les exercices au tableau.
— Écoutez tous! lance-t-il. Chacun d'entre vous doit contourner les cônes le plus vite possible avant de filer par ici, puis par là. Ensuite, vous ferez une passe à un autre joueur qui lancera en direction de Charlie. Attendez une minute! Où est Charlie?

Tout à coup, le silence se fait dans le vestiaire. Comment les Ricochons vont-ils s'entraîner sans gardien de but?
— Je crois qu'il va falloir annuler cette séance, dit l'entraîneur en secouant la tête.
— Attendez! dit Brady. Peut-être que l'un de nous peut le remplacer dans le filet?
— Oui, approuve Tess. Je vais aller chercher l'équipement de rechange.

Tout le monde pousse un soupir de soulagement. L'entraînement ne sera pas annulé.

Titan est le premier à se proposer. Il a déjà gardé des buts au hockey dans la rue. *Ce ne doit pas être si différent*, se dit-il. Mais il se trompe. La glace est ***beauuuucoup*** trop glissante, et l'équipement ***beauuuucoup*** trop petit.

Caroline fait ensuite un essai, mais ses lunettes ne cessent de s'embuer. Elle n'y voit plus rien.

Puis c'est le tour de Tess. Malgré ses virevoltes et ses pirouettes, elle ne réussit pas à bloquer un seul but.

Quant à Kevin, il passe son temps à bavarder. L'entraîneur finit par lui dire de ramasser les rondelles empilées dans le filet.

Le premier entraînement de l'année est une ***catastrophe.*** Tous les joueurs sont déçus.

Brady et Tess se disent au revoir à l'extérieur de l'aréna lorsqu'ils voient Charlie traverser le terrain de stationnement en courant.

— Je suis en retard, crie-t-il. Excusez-moi!

Il est tout essoufflé et laisse tomber des pièces d'équipement à chaque pas.

— En retard? dit Brady. Mais l'entraînement est terminé. Où étais-tu?
Charlie se penche pour ramasser ses jambières.
— Euh, je... j'avais quelque chose à faire.
— C'était un entraînement important, réplique Brady. On joue notre première partie demain!
— Excuse-moi, Brady Brady. Je voulais vraiment venir, mais je... je me suis réveillé en retard.
Charlie invente toutes sortes d'excuses. Brady se demande bien pourquoi.

Le lendemain matin, le vestiaire est plutôt calme. Tous les joueurs sont nerveux avant la première partie de la saison... surtout après un entraînement aussi désastreux.

Titan fredonne en ajustant ses épaulières. Caroline ne cesse de se brosser les cheveux. Kevin jacasse sans arrêt. Quant à Charlie, il est...

ABSENT!

— Qui aimerait garder le filet? demande l’entraîneur en brandissant le bâton du gardien de but.

Il n’y a aucun volontaire.

Les genoux des Ricochons s'entrechoquent et leurs dents claquent lorsqu'ils entrent sur la patinoire. Ils doivent affronter ces casse-pieds de Bassets sans même avoir un ***vrai*** gardien!

Les Bassets ne tardent pas à se moquer d'eux.

— Hé! Les Ricochons! Vous ne poussez pas votre cri de ralliement?
En voici un pour vous!

C'est nous les Ricochons,
les anciens champions!
Sans gardien dans le filet,
les gagnants sont les Bassets!

Ce jour-là, les Ricochons subissent une défaite... ***écrasante***.
Quelle horrible façon de commencer la saison!

— C’est la faute de Charlie si on a perdu, grogne Caroline.
— Comment a-t-il pu nous faire ça? demande Kevin. Il nous a laissés tomber.

Brady n’aime pas perdre, mais il refuse de croire que son ami a voulu faire du tort à l’équipe.
— Il doit sûrement avoir une bonne raison pour manquer la première partie, dit-il.

Le lendemain, à l'école, Kevin voit Charlie parler à leur enseignante pendant la récréation. Il s'apprête à aller lui dire bonjour, lorsqu'il entend Charlie parler de l'***équipe Alpha***. Charlie mentionne qu'il fait partie de l'équipe et qu'il va participer au championnat.

Kevin est stupéfait.
Charlie joue dans une autre équipe de hockey? Voilà pourquoi il n'était pas à la partie hier! se dit-il.

En rentrant à la maison après l'école, Kevin rejoint Brady et lui raconte ce qu'il a entendu. Brady est étonné d'apprendre que Charlie joue pour une autre équipe de hockey. Qu'est-ce que les Ricochons vont faire sans lui? Décidément, cette saison sera LOIN d'être leur meilleure...

Brady a du mal à s'endormir. Il décide de parler à Charlie le lendemain matin.

Brady est en train de déjeuner lorsque son chien Champion
lui apporte le journal.

La photo de Charlie est en première page! Charlie fait ***vraiment*** partie d'une autre équipe. Mais l'équipe Alpha n'est pas une équipe de hockey. C'est une équipe qui participe à un ***CONCOURS D'ÉPELLATION***!

Brady s'empresse de téléphoner à son ami.
— Tu participes à un concours d'épellation?
Pourquoi n'as-tu
rien dit?

— Je ne pensais pas que ce serait nécessaire, répond Charlie. J'étais certain de me faire éliminer avant le début de la saison de hockey.

Il ajoute en chuchotant :
— Et puis, j'avais peur que vous vous moquiez de moi.

— Je trouve que c'est génial, au contraire! dit Brady. Tout le monde pensait que tu faisais partie d'une ***autre*** équipe de hockey!

— Je ne ferais jamais ça aux Ricochons, réplique Charlie. Mais qu'est-ce que je vais faire? La finale du concours d'épellation a lieu ce soir. Je suis tellement nerveux! J'espère que je pourrai arriver à temps pour la partie.

— Ne t'inquiète pas pour nous, Charlie, lui dit Brady. On va se débrouiller. Bonne chance!
Brady est impatient. Il a encore un coup de fil à donner.

Cet après-midi-là,
l'entraîneur téléphone
à tous les Ricochons et leur
demande d'arriver plus tôt
à la patinoire.

Ils se rencontrent à l'extérieur de l'aréna.
— J'ai bien peur qu'on soit obligés de jouer sans Charlie ce soir, leur dit-il.
Tout le monde s'exclame. C'était donc vrai! Charlie a abandonné les Ricochons!

L’entraîneur lève la main.
— Attendez! dit-il. Brady Brady, peux-tu leur expliquer ce qui se passe?
— Charlie est encore un Ricochon, dit Brady. Mais il participe à la finale du concours d’épellation, et il a besoin de notre appui.

Les Ricochons courent jusqu'à l'école. Le gymnase est rempli de spectateurs. Quelques enfants sont assis sur la scène, mais un siège est vide : celui de Charlie!

Il est caché dans les coulisses.

— Que... que... que faites-vous ici? balbutie Charlie en claquant des dents.
— On est venus t'encourager, dit Brady.
— Mais... je... et la partie de hockey? dit Charlie.
— On peut battre les Dragons n'importe quand, réplique Tess. Tu fais partie de notre équipe, et les coéquipiers doivent se serrer les coudes.

Avant que Charlie entre en scène, les Ricochons entonnent leur cri de ralliement :

C'est nous les Ricochons!
Charlie est un champion!
Il bloque la rondelle
aussi bien qu'il épelle!

Charlie se débrouille très bien quand les Ricochons quittent le gymnase pour se rendre à l'aréna. Avant de sortir, Brady lève le pouce pour encourager son ami.

Les joueurs lacent leurs patins en silence. Les Ricochons souhaitent que Charlie gagne le championnat, mais ils avaient secrètement espéré qu'il arriverait à temps pour la partie. Maintenant, ils vont devoir jouer sans lui. Encore une fois.

Tout à coup, l'entraîneur entre dans le vestiaire.
— Écoutez, tout le monde! annonce-t-il. Je voudrais que vous sachiez que Charlie est...

ICI!

Les Ricochons poussent des cris de joie en voyant Charlie entrer en trombe. Il brandit une énorme médaille et un certificat encadré!

— Super! Tu as gagné! s'exclame Brady.
— Oui! réplique Charlie en souriant. Mais je n'aurais pas réussi sans mon équipe!

En entrant avec ses coéquipiers sur la patinoire, Brady met son bras sur les épaules de son ami.

— Au fait, j'ai oublié de te demander. Quel était le mot qui t'a fait gagner?

— ***Loyauté***, répond Charlie avec un sourire.

— Et la définition?

— ***R-I-C-O-C-H-O-N-S!*** épelle-t-il.

Charlie est de retour, et la saison s'annonce excellente!